Corynnod

Rebecca Gilpin

Dyluniwyd gan Zoe Wray

Darluniau gan Tetsuo Kushii, Zoe Wray a David Wright

Addasiad Cymraeg: Elin Meek

Ymgynghorwyr: Ken Preston-Mafham a Dr. Rod Preston-Mafham

Ymgynghorydd darllen: Alison Kelly, Prifysgol Roehampton

Cynnwys

Golwg fanwl

Mae wyth coes gan gorryn. Mae wyth llygad gan y rhan fwyaf, ond dydy rhai ddim yn gweld yn dda iawn.

Mae crafangau bach ar flaen pob coes.

Corff

Does dim esgyrn ganddo.

Llygaid

Pen

Dant

Coesau blewog

Mae gwaed glas golau gan gorynnod.

Lle i fyw

Mae corynnod yn byw mewn llawer o wahanol fannau. Mae'r rhan fwyaf yn byw'r tu allan, hyd yn oed lle mae'n boeth neu'n oer iawn.

Mae llawer yn byw ar eu gwe eu hunain.

Mae eraill yn byw mewn tyllau yn y ddaear.

Mae rhai'n byw mewn diffeithwch lle mae'n sych iawn.

Dyma gorryn lyncs ar gactws sy'n tyfu yn y diffeithwch.

Gall corynnod fyw yn nhai
pobl hefyd. Maen nhw'n
cuddio mewn craciau a
chorneli tywyll.

Mae llawer o
gorynnod yn byw ar
blanhigion.

Mae'r tarantwla
blewog hwn yn
byw mewn
coedwig boeth,
wlyb.

Creu gwe

Mae llawer o gorynnod yn gwneud gwe i ddal bwyd. Mae gwe corryn wedi'i gwneud o sidan sy'n cael ei greu yng nghorff y corryn.

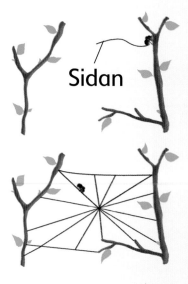

Sidan

Mae corryn yn gwneud llinell o sidan sy'n sownd wrth blanhigyn.

Mae'n gwneud sawl llinell arall o sidan.

Mae'n mynd o gwmpas o hyd gyda rhagor o sidan.

Mae'r we'n ludiog i ddal pryfed. Gan fod olew ar goesau'r corryn, dydy e ddim yn gludio wrth y we.

Chwilia am we ar fore llaith.
Mae diferion bach o ddŵr yn
gludio wrth y we. Felly mae'n
hawdd ei gweld.

Dal bwyd

Ar ôl i gorryn wneud gwe, mae'n aros
i ddal bwyd.

Mae pryfyn yn
hedfan i'r we
ac yn mynd
yn sownd.

Mae'r corryn
yn rhedeg
draw ato.

Mae'n rhoi
sidan dros y
pryfyn i'w ddal.

Dydy corynnod neidio ddim yn gwneud gwe.
Maen nhw'n dal pryfed drwy neidio arnyn nhw.

Mae'r math yma o
gorryn yn hongian o
linell o sidan. Mae'n
dal gwe fach rhwng
ei goesau.

Pan fydd
pryfyn yn hedfan
heibio, mae'r
corryn yn syrthio
i lawr. Mae'r
pryfyn yn
mynd yn
sownd yn
y we.

Gwe ludiog

Mae corynnod bolas yn rhoi pêl
ludiog ar waelod llinyn o sidan i ddal
gwyfynod.

9

Bwyta

Mae gan gorynnod ddannedd miniog i ladd y pethau y maen nhw'n eu dal.

Mae corryn yn cnoi pryfyn â'i ddannedd cyn saethu gwenwyn i mewn iddo.

Mae tu mewn y pryfyn yn troi'n slwtsh ac mae'r corryn yn ei sugno.

Gall corynnod fwyta pryfed, chwilod a gwenyn meirch.

Mae'r rhan fwyaf o gorynnod yn bwyta pryfed bach. Mae rhai'n gallu bwyta pryfed sy'n fwy na nhw.

Mae'r corryn hwn yn bwyta mursen.

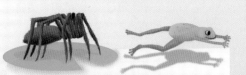

Gall ambell gorryn fwyta brogaod bach!

Syrpréis

Mae ambell gorryn, fel y corryn trapddor, yn defnyddio triciau i ddal bwyd.

1. Mae'n palu twll â'i ddannedd.

2. Mae'n gwneud drws o bridd a sidan.

3. Mae'n cuddio ac yn gweld chwilen.

4. Mae'n neidio allan ac yn ymosod.

Os yw corryn trapddor yn dal rhywbeth ych-a-fi, mae'n ei daflu allan o'r twll.

Mae crang-gorryn
yn cerdded
wysg ei ochr,
fel cranc. Mae'n
cuddio mewn
blodau.

Pan fydd
pryfyn yn glanio
ar y blodau,
mae'r corryn
yn ei gnoi
a'i fwyta.

Weli di'r corryn
yn cuddio yn y
blodau hyn?

Byw o dan y dŵr

Mae corryn dŵr yn byw o dan y dŵr mewn gwe sy'n llawn aer. Mae'r we hon yn wahanol, achos dydy'r corryn ddim yn dal ei fwyd ynddi.

Mae'r we'n sownd wrth blanhigion dŵr.

Yn gyntaf, mae'r corryn yn gwneud gwe o
dan y dŵr. Yna mae'n mynd i wyneb y dŵr.

Yna, mae'n rhoi ei goesau uwchben y dŵr.
Mae'n dal swigen fawr o aer.

Mae'r corryn yn mynd â'r swigen i'r we ac yn
ei gollwng. Mae'r we'n llawn swigod.

Mae'r corryn yn dal bwyd o dan y dŵr
ac yn mynd 'nôl i'r we i'w fwyta.

Wyau a babis

Mae corynnod bach yn deor o wyau. Dyma sy'n digwydd cyn iddyn nhw ddeor.

Bydd y fam yn gwneud mat sidan.

Bydd hi'n dodwy wyau bach arno.

Bydd hi'n gwneud sach i gadw'r wyau.

Mae rhai corynnod yn cuddio'r sachau wyau i'w cadw'n ddiogel.

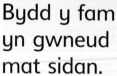

Mae'r corryn hwn yn cario ei sach wyau.

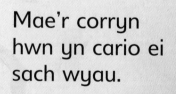

Mae corryn bach ym mhob wy yn y sach.

Maen nhw'n tyfu'n fwy ac yn deor o'r wyau.

Mae'r corynnod bach yn deor ar yr un pryd ac yn gadael y sach wyau.

Mae llawer iawn ohonyn nhw!

Tyfu'n fwy

Dydy croen corryn ddim yn ymestyn. Felly, mae'n tyfu'n rhy fawr i'w groen.

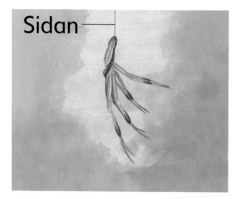

Sidan

1. Mae corryn yn aros yn llonydd ac yn hongian o linell o sidan.

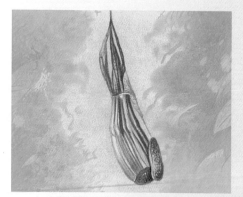

2. Mae'r croen yn hollti ond mae croen newydd oddi tano.

Hen groen

Croen newydd

3. Mae'n dringo allan o'i hen groen i'r un newydd.

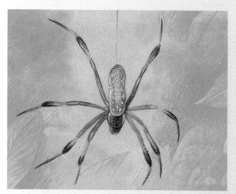

4. Mae'r corryn yn tyfu'n fwy wrth i'r croen ymestyn a chaledu.

Fel arfer mae
corynnod yn
newid eu croen
sawl gwaith
wrth dyfu.

Hen
groen

Mae'r corryn
hwn yn cael
egwyl ar ôl
dringo allan o'i
hen groen.

Mae ei gorff
tua'r un maint
ag un o dy
fysedd di.

Bach a mawr

Tarantwla yw'r corryn mwyaf. Gall corff
a choesau rhai tarantwlas fod mor fawr
â phlât cinio.

Dyma
darantwla
pengliniau coch.

Mae corryn poeri'r un maint â physen.

Mae'n dal pryfed drwy boeri sidan gludiog drostyn nhw.

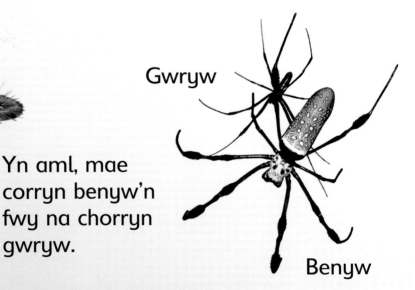

Gwryw

Yn aml, mae corryn benyw'n fwy na chorryn gwryw.

Benyw

Gallai'r corryn lleiaf yn y byd sefyll ar flaen pensil.

Angenfilod blewog

Mae gan rai corynnod flew ar eu cyrff a'u coesau. Mae gan rai corynnod flew sydd mor fach, mae'n anodd eu gweld nhw.

Mae'r corryn neidio blewog yn y llun yn llawer mwy na'i faint go iawn, i ti gael gweld ei flew.

Pan fydd corryn yn teimlo ei flew yn symud, mae'n gwybod bod rhywbeth yn agos. Does dim rhaid iddo ei weld.

Mae corynnod yn blasu pethau drwy'r blew bach ar eu coesau blaen.

Mae gan rai corynnod flew arbennig ar eu traed. Maen nhw'n eu helpu i gerdded i fyny gwydr.

Ymosod

Mae adar, brogaod a llawer o anifeiliaid eraill yn bwyta corynnod. Mae rhai mathau o gorynnod yn bwyta corynnod eraill.

Mae'n fwy anodd i'r ymosodwr weld corynnod sy'n edrych fel y pethau o'u cwmpas nhw.

Wyt ti'n gallu gweld y corryn yn cuddio ar y brigyn hwn?

Mae rhai corynnod yn edrych fel tywod neu risgl coeden.

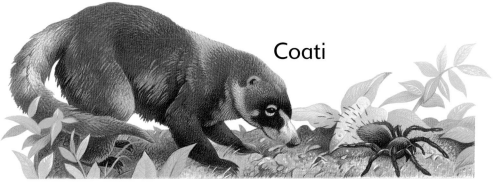

Coati

Mae blew sy'n gallu pigo gan rai tarantwlas. Os bydd anifail fel y coati hwn yn ymosod, maen nhw'n cicio eu blew ato.

Mae'r marciau llachar ar y corryn hwn yn dweud wrth anifeiliaid eraill bod blas cas arno.

Triciau corynnod

Mae corynnod yn gallu gwneud triciau gwych.

Mae rhai mathau
o gorynnod yn
gallu cerdded
ar ddŵr.

Mae arwyneb y dŵr fel croen tenau. Mae
traed cwyraidd gan y corynnod, felly
dydyn nhw ddim yn suddo i'r dŵr.

Mae'r corryn olwyn yn byw mewn diffeithwch poeth.

Gall dynnu ei goesau
i mewn i'w gorff i
amddiffyn eu hun.

Mae'n dianc drwy rolio
i ffwrdd yn gyflym ar
draws y tywod poeth.

Corynnod pigog

Mae gan rai corynnod bigau a drain arbennig
ar eu cyrff.

Mae pigau crwm gan gorynnod
corniog. Mae'n anodd i anifeiliaid
eraill eu bwyta wedyn.

Mae gan gorynnod
trionglog goesau blaen
pigog sydd â drain
drostyn nhw.

Mae'n eistedd yn
llonydd ac yn aros
tan bod pryfyn
yn agos.

Mae coesau blaen y
corryn yn cau'n glep.
Mae'n dal y pryfyn ac
yn ei fwyta.

Geirfa corynnod

Dyma rai o'r geiriau yn y llyfr hwn sy'n newydd i ti, efallai. Mae'r dudalen hon yn rhoi ystyr y geiriau i ti.

 dannedd – rhan finiog ceg corryn. Mae'n eu defnyddio nhw i ladd pethau.

 gwe – rhwyd sidan wedi'i gwneud gan gorryn. Mae corynnod yn dal bwyd yn y we.

 sidan – y defnydd y mae corryn yn ei ddefnyddio i wneud gwe a sach wyau.

 sach wyau – y bag sidan sy'n cael ei greu gan gorryn i ddal wyau.

 deor – dod allan o wy. Mae corynnod bach yn deor o'r wyau.

 corynnod bach. Maen nhw'n edrych fel oedolion bach.

 pigyn – darn tenau pigog ar gorff corryn neu ar ei goesau.

Gwefannau diddorol

Mae llawer o wefannau cyffrous i ddysgu rhagor am gorynnod.

I ymweld â'r gwefannau hyn, cer i **www.usborne-quicklinks.com.** Darllena ganllawiau diogelwch y Rhyngrwyd, ac yna teipia'r geiriau allweddol **"beginners spiders"**.

Caiff y gwefannau hyn eu hadolygu'n gyson a chaiff y dolenni yn 'Usborne Quicklinks' eu diweddaru. Fodd bynnag, nid yw Usborne Publishing yn gyfrifol, ac nid yw chwaith yn derbyn atebolrwydd, am gynnwys neu argaeledd unrhyw wefan ac eithrio'i wefan ei hun. Rydym yn argymell i chi oruchwylio plant pan fyddant ar y Rhyngrwyd.

Mae tarantwla pengliniau coch yn bwyta anifeiliaid a madfallod bach. Ar ôl pryd mawr, efallai na fyddan nhw'n bwyta eto am sawl mis.

Mynegai

Cydnabyddiaeth

Trin ffotograffau: John Russell

Cydnabyddiaeth lluniau

Mae'r cyhoeddwyr yn ddiolchgar i'r canlynol am ganiatâd i atgynhyrchu deunydd:
© **Llyfrgell Lluniau Uned Natur y BBC** (JL Gomez de Francisco) Clawr, (Bernard Castelein) 11,
(Adrian Davies) 13, (Doug Wechsler) 26, © **Casgliad Bruce Coleman** (John Cancalosi) 5, (Gordon
Langsbury) 10, (Jane Burton) 17, © **Corbis** (Michael maconachie/Papilio) 2-3, (Joe McDonald) 4,
(Layne Kennedy) 6-7, (Kevin Schafer) 9, (Eric a David Hosking) 20-21, (Steve Kaufman) 25,
(Ianz Von Horsten/Gallo Images) 27, © **Digital Vision** Tudalen deitl, 31, © **NHPA** (Stephen Dalton)
8, (GI Bernard) 19, (James Carmichael Jr) 24, (ANT) 29, © **Oxford Scientific Films** (JAL Cooke) 14,
(GW Willis) 21, © **Premaphotos Wildlife** (Ken Preston-Mafham) 16, 22-23, 28

Cyhoeddwyd gyntaf yn 2002 gan Usborne Publishing Ltd., Usborne House, 83-85 Saffron Hill, London EC1N 8RT.
Cyhoeddwyd gyntaf yng Nghymru yn 2013 gan Wasg Gomer, Llandysul, Ceredigion SA44 4JL.
www.gomer.co.uk